THE LAZY GUITARIST'S

PRACTICE PLANNER

NICE ONE! You've opened this planner, which must mean you're ready to get on with some quality guitar practice!

If you don't already know about The Lazy Guitarist, it's this:

TAKING THE EFFORT OUT OF BEING A SLICK GUITARIST

It's all about breaking different guitar concepts into bite-sized pieces and absorbing them into your playing through short but sweet sessions.

This practice planner is designed to provide you with structure, help you stay consistent and enable you to move from stuck to inspired as a player.

FOLLOW THE PLANNER — STICK WITH IT — TRUST THE PROCESS

 @the.lazyguitarist

 www.thelazyguitarist.com

IN THIS PLANNER:

ACHIEVEMENTS + GOALS

 TOP TIPS + MUSICAL MUSINGS

TECHNIQUE TRACKER

 TAB + NOTES

QUOTES FROM SOME OF THE GREATS

MONTHLY GOALS

Each month, set yourself 4 achievable goals.

They can be as general or specific as you like, but the aim is to keep your practice relevant to the musician you want to be, rather than just clocking up playing hours.

Remember to review your goals at the end of the month, celebrate your achievements and identify points for improvement.

↓ THIS MONTHS GUITAR GOALS ↓

TECHNIQUE TRACKER

Each month we're gonna make sure you spread your practice across all skills, not just your favourites!

Remember, the best progress is made outside your comfort zone.

Just tick the corresponding box(es) for each practice you do of that type!

Time to smash out your first months practice!

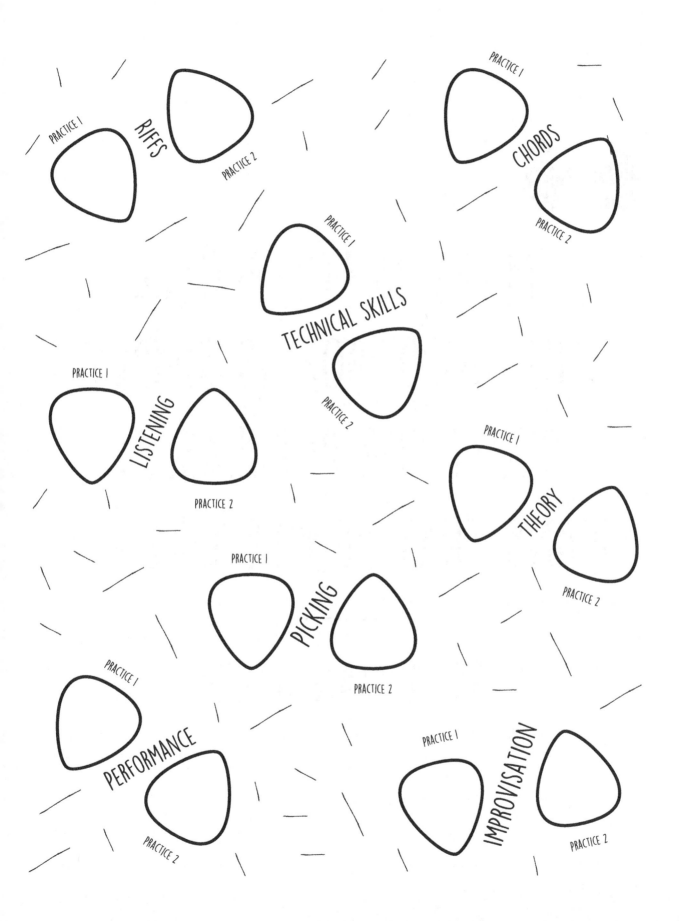

"MUSIC IS FOR PEOPLE. THE WORD 'POP' IS SIMPLY SHORT FOR POPULAR. IT MEANS THAT PEOPLE LIKE IT."

———

EDDIE VAN HALEN

DATE ....

```
T _____
A _____
B _____
```

```
T _____
A _____
B _____
```

```
T _____
A _____
B _____
```

PRACTICE

....

....

....

....

....

....

....

DATE ....

```
T━━━━━━━━━━━━━━━━━━━━━━━━━━━
A━━━━━━━━━━━━━━━━━━━━━━━━━━━
B━━━━━━━━━━━━━━━━━━━━━━━━━━━
```

```
T━━━━━━━━━━━━━━━━━━━━━━━━━━━
A━━━━━━━━━━━━━━━━━━━━━━━━━━━
B━━━━━━━━━━━━━━━━━━━━━━━━━━━
```

```
T━━━━━━━━━━━━━━━━━━━━━━━━━━━
A━━━━━━━━━━━━━━━━━━━━━━━━━━━
B━━━━━━━━━━━━━━━━━━━━━━━━━━━
```

PRACTICE

....

....

....

....

....

....

DATE ....

```
T ─────────────────────────────────
A ─────────────────────────────────
B ─────────────────────────────────
```

```
T ─────────────────────────────────
A ─────────────────────────────────
B ─────────────────────────────────
```

```
T ─────────────────────────────────
A ─────────────────────────────────
B ─────────────────────────────────
```

PRACTICE

....

....

....

....

....

....

....

DATE ....

```
T ————————————————————————————————
A ————————————————————————————————
B ————————————————————————————————
```

```
T ————————————————————————————————
A ————————————————————————————————
B ————————————————————————————————
```

```
T ————————————————————————————————
A ————————————————————————————————
B ————————————————————————————————
```

PRACTICE

....

....

....

....

....

....

....

PICKUP CHOICE

Here is a little tone tip for your solos.

Use your bridge pickup for passages below the 12th fret - a brighter tone will help lower notes cut through better.

And use the neck pickup for notes above the 12th fret - high notes won't sound as screechy with this bassier tone.

DATE ....

```
T
A
B
```

```
T
A
B
```

```
T
A
B
```

PRACTICE

....

....

....

....

....

....

....

DATE ....

T
A
B

T
A
B

T
A
B

PRACTICE

....

....

....

....

....

....

....

DATE ....

T
A
B

T
A
B

T
A
B

PRACTICE

....

....

....

....

....

....

....

DATE ....

```
T ─────────────────────────────
A ─────────────────────────────
B ─────────────────────────────
```

```
T ─────────────────────────────
A ─────────────────────────────
B ─────────────────────────────
```

```
T ─────────────────────────────
A ─────────────────────────────
B ─────────────────────────────
```

PRACTICE

....

....

....

....

....

....

....

"EACH GUITAR HAS ITS OWN CHARACTER AND PERSONALITY, WHICH CAN BE MAGNIFIED ONCE THE PLAYER ENGAGES IN BEATIN' IT UP"

———

BILLY GIBBONS

DATE ....

```
T
A
B
```

```
T
A
B
```

```
T
A
B
```

PRACTICE

....

....

....

....

....

....

....

DATE ....

```
T ─────────────────────────────────────
A ─────────────────────────────────────
B ─────────────────────────────────────
```

```
T ─────────────────────────────────────
A ─────────────────────────────────────
B ─────────────────────────────────────
```

```
T ─────────────────────────────────────
A ─────────────────────────────────────
B ─────────────────────────────────────
```

PRACTICE

....

....

....

....

....

....

....

DATE ....

TAB
─────────────────────────────
─────────────────────────────
─────────────────────────────
─────────────────────────────

TAB
─────────────────────────────
─────────────────────────────
─────────────────────────────
─────────────────────────────

TAB
─────────────────────────────
─────────────────────────────
─────────────────────────────
─────────────────────────────

PRACTICE

....

....

....

....

....

....

....

DATE ....

```
T ─────────────────────────────
A ─────────────────────────────
B ─────────────────────────────
```

```
T ─────────────────────────────
A ─────────────────────────────
B ─────────────────────────────
```

```
T ─────────────────────────────
A ─────────────────────────────
B ─────────────────────────────
```

PRACTICE

....

....

....

....

....

....

....

THE SHY PINKIE

You have four fretting fingers - make sure you use them all!

It is very common to ignore the pinkie and make do with the other three stronger fingers.

But if you let that little guy hide away, then it wont build its strength and dexterity... don't limit yourself to only 3/4 of your fretting potential!

DATE ....

```
T ─────────────────────────
A ─────────────────────────
B ─────────────────────────
```

```
T ─────────────────────────
A ─────────────────────────
B ─────────────────────────
```

```
T ─────────────────────────
A ─────────────────────────
B ─────────────────────────
```

PRACTICE

....

....

....

....

....

....

....

DATE ....

```
T ─────────────────────────────────
A ─────────────────────────────────
B ─────────────────────────────────
```

```
T ─────────────────────────────────
A ─────────────────────────────────
B ─────────────────────────────────
```

```
T ─────────────────────────────────
A ─────────────────────────────────
B ─────────────────────────────────
```

PRACTICE

....

....

....

....

....

....

DATE ....

```
T —————————————————————————
A —————————————————————————
B —————————————————————————
```

```
T —————————————————————————
A —————————————————————————
B —————————————————————————
```

```
T —————————————————————————
A —————————————————————————
B —————————————————————————
```

PRACTICE

....

....

....

....

....

....

DATE ....

T
A
B

T
A
B

T
A
B

PRACTICE

....

....

....

....

....

....

....

LAST MONTHS ACHIEVEMENTS

_____
_____
_____
_____
_____
_____

↓ THIS MONTHS GUITAR GOALS ↓

1	2
3	4

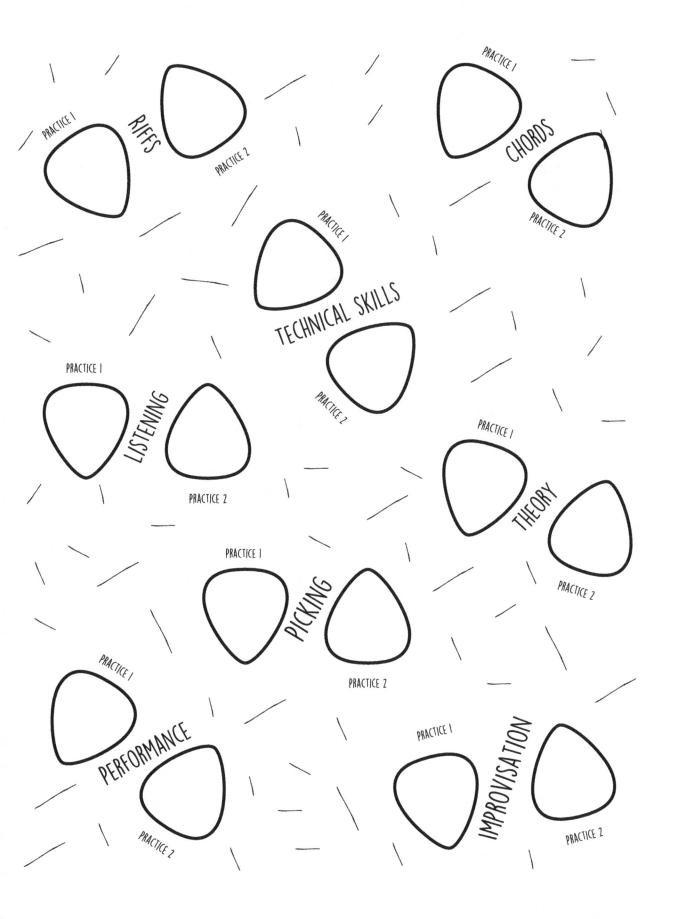

"THE MAIN THREE THINGS TO
REBEL AGAINST:
OVER-PRODUCTION,
TOO MUCH TECHNOLOGY,
OVERTHINKING."

———————

JACK WHITE

DATE ....

```
T ─────────────────────────────────────
A ─────────────────────────────────────
B ─────────────────────────────────────
  ─────────────────────────────────────
```

```
T ─────────────────────────────────────
A ─────────────────────────────────────
B ─────────────────────────────────────
  ─────────────────────────────────────
```

```
T ─────────────────────────────────────
A ─────────────────────────────────────
B ─────────────────────────────────────
  ─────────────────────────────────────
```

PRACTICE

....

....

....

....

....

....

DATE ....

TAB

TAB

TAB

PRACTICE

....

....

....

....

....

....

....

DATE ....

```
T ─────────────────────────
A ─────────────────────────
B ─────────────────────────
```

```
T ─────────────────────────
A ─────────────────────────
B ─────────────────────────
```

```
T ─────────────────────────
A ─────────────────────────
B ─────────────────────────
```

PRACTICE

....

....

....

....

....

....

DATE ....

```
T ─────────────────────────
A ─────────────────────────
B ─────────────────────────
```

```
T ─────────────────────────
A ─────────────────────────
B ─────────────────────────
```

```
T ─────────────────────────
A ─────────────────────────
B ─────────────────────────
```

PRACTICE

....

....

....

....

....

....

GO UNPLUGGED

Sometimes if you are trying to practice something specific, it's good not to even plug the guitar in.

Don't worry about spending time getting the amp set up and distracting yourself getting the sounding right - just crack on with improving your dexterity!

DATE ....

```
T ───────────────────────────
A ───────────────────────────
B ───────────────────────────
```

```
T ───────────────────────────
A ───────────────────────────
B ───────────────────────────
```

```
T ───────────────────────────
A ───────────────────────────
B ───────────────────────────
```

PRACTICE

....

....

....

....

....

....

....

DATE ....

```
T
A
B
```

```
T
A
B
```

```
T
A
B
```

PRACTICE

....

....

....

....

....

....

DATE ....

```
T————————————————————
A————————————————————
B————————————————————
```

```
T————————————————————
A————————————————————
B————————————————————
```

```
T————————————————————
A————————————————————
B————————————————————
```

PRACTICE

....

....

....

....

....

....

DATE ....

```
T ─────────────────────────
A ─────────────────────────
B ─────────────────────────
```

```
T ─────────────────────────
A ─────────────────────────
B ─────────────────────────
```

```
T ─────────────────────────
A ─────────────────────────
B ─────────────────────────
```

PRACTICE

....

....

....

....

....

....

"FINDING WAYS TO USE THE SAME
GUITAR PEOPLE HAVE BEEN USING
FOR 50 YEARS TO MAKE SOUNDS
THAT NO ONE HAS HEARD BEFORE
IS TRULY WHAT GETS ME OFF."

JEFF BECK

DATE ....

```
T ——————————————————————————
A ——————————————————————————
B ——————————————————————————
```

```
T ——————————————————————————
A ——————————————————————————
B ——————————————————————————
```

```
T ——————————————————————————
A ——————————————————————————
B ——————————————————————————
```

PRACTICE

....

....

....

....

....

....

....

DATE ....

```
T————————————————————
A————————————————————
B————————————————————
```

```
T————————————————————
A————————————————————
B————————————————————
```

```
T————————————————————
A————————————————————
B————————————————————
```

PRACTICE

....

....

....

....

....

....

DATE ....

```
T ─────────────────────────────
A ─────────────────────────────
B ─────────────────────────────
```

```
T ─────────────────────────────
A ─────────────────────────────
B ─────────────────────────────
```

```
T ─────────────────────────────
A ─────────────────────────────
B ─────────────────────────────
```

PRACTICE

....

....

....

....

....

....

....

DATE ....

```
T
A
B
```

```
T
A
B
```

```
T
A
B
```

PRACTICE

....

....

....

....

....

....

....

TUNE UP, NOT DOWN!

Did you know that when you tune a string that you should always end by tightening rather than loosening - tune up to the correct pitch, not down.

When you lower the pitch by releasing tension, there may be slack in the gears of the tuning machines which can cause the the string to slip below pitch.

By going further down and approaching the target note from below, there will be force applied to the gears giving it less potential to slip once you're in tune.

DATE ....

```
T ────────────────────────
A ────────────────────────
B ────────────────────────
```

```
T ────────────────────────
A ────────────────────────
B ────────────────────────
```

```
T ────────────────────────
A ────────────────────────
B ────────────────────────
```

PRACTICE

....

....

....

....

....

....

....

DATE ....

TAB
_____
_____
_____
_____

TAB
_____
_____
_____
_____

TAB
_____
_____
_____
_____

PRACTICE

....

....

....

....

....

....

....

DATE ....

```
T
A
B
```

```
T
A
B
```

```
T
A
B
```

PRACTICE

....

....

....

....

....

....

....

DATE ....

```
T
A
B
```

```
T
A
B
```

```
T
A
B
```

PRACTICE

....

....

....

....

....

....

....

LAST MONTHS ACHIEVEMENTS

_____

_____

_____

_____

_____

_____

↓ THIS MONTHS GUITAR GOALS ↓

1	2
3	4

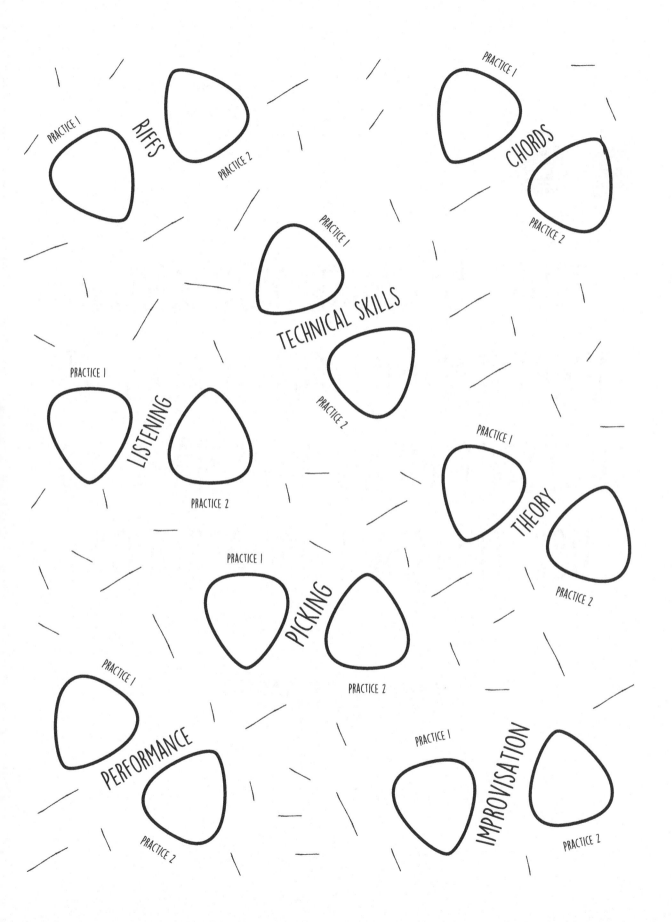

"JUST BECAUSE YOU KNOW UMPTEEN BILLION SCALES, IT DOESN'T MEAN YOU HAVE TO USE THEM ALL IN A SOLO"

———

KIRK HAMMETT

DATE ....

```
T
A
B
```

```
T
A
B
```

```
T
A
B
```

PRACTICE

....

....

....

....

....

....

....

DATE ....

```
T ─────────────────────────
A ─────────────────────────
B ─────────────────────────
```

```
T ─────────────────────────
A ─────────────────────────
B ─────────────────────────
```

```
T ─────────────────────────
A ─────────────────────────
B ─────────────────────────
```

PRACTICE

....

....

....

....

....

....

....

DATE ....

```
T
A
B
```

```
T
A
B
```

```
T
A
B
```

PRACTICE

....

....

....

....

....

....

DATE ....

```
T
A
B
```

```
T
A
B
```

```
T
A
B
```

PRACTICE

....

....

....

....

....

....

....

DRIVE — DISTORTION — FUZZ

It's easy to get confused when it comes to dirt pedals,
so here is my brief explanation of the three types.

Overdrive

The point of an OD pedal is to push your amplifier so that the valves begin to overdrive and the sound breaks up (or mimic this effect if using solid state). It essentially keeps the sound of your amp and gives it some more oomph!

Think Stevie Ray Vaughan.
The industry standard is the Ibanez Tubescreamer.

Distortion

A distortion pedal is more aggressive than an OD. This pedal will take your guitar signal and boost it to the point where the soundwave has been twisted into a completely different tone. If you want a thick crunchy sound for heavy rock and metal, you need a Distortion pedal.

Think Rock from Kurt Cobain to Slipknot.
The industry standard is the Boss DS-1.

Fuzz

Fuzz goes even further than Distortion. It will take your signal and boost it so hard that it ends up distorting and compressing into this woolly, 'fuzzy' sound. Not much good for chords, but great for lead lines and single note riffs.

Think Satisfaction by Rolling Stones or anything by Hendrix.
The industry standard is the EHX Big Muff.

DATE ....

```
T ─────────────────────────────────
A ─────────────────────────────────
B ─────────────────────────────────
```

```
T ─────────────────────────────────
A ─────────────────────────────────
B ─────────────────────────────────
```

```
T ─────────────────────────────────
A ─────────────────────────────────
B ─────────────────────────────────
```

PRACTICE

....

....

....

....

....

....

DATE ....

```
T ─────────────────────────────
A ─────────────────────────────
B ─────────────────────────────
```

```
T ─────────────────────────────
A ─────────────────────────────
B ─────────────────────────────
```

```
T ─────────────────────────────
A ─────────────────────────────
B ─────────────────────────────
```

PRACTICE

....

....

....

....

....

....

....

DATE ....

```
T ─────────────────────────────
A ─────────────────────────────
B ─────────────────────────────
```

```
T ─────────────────────────────
A ─────────────────────────────
B ─────────────────────────────
```

```
T ─────────────────────────────
A ─────────────────────────────
B ─────────────────────────────
```

PRACTICE

....

....

....

....

....

....

....

DATE ....

```
T ────────────────────────
A ────────────────────────
B ────────────────────────
```

```
T ────────────────────────
A ────────────────────────
B ────────────────────────
```

```
T ────────────────────────
A ────────────────────────
B ────────────────────────
```

PRACTICE

....

....

....

....

....

....

....

"FOR ME, I THINK THE ONLY DANGER IS BEING TOO MUCH IN LOVE WITH GUITAR PLAYING — THE MUSIC IS THE MOST IMPORTANT THING, AND THE GUITAR IS ONLY THE INSTRUMENT."

———

JERRY GARCIA

DATE ....

T
A
B

T
A
B

T
A
B

PRACTICE

....

....

....

....

....

....

....

DATE ....

T
A
B

T
A
B

T
A
B

PRACTICE

....

....

....

....

....

....

....

DATE ....

```
T ─────────────────────────────────
A ─────────────────────────────────
B ─────────────────────────────────
```

```
T ─────────────────────────────────
A ─────────────────────────────────
B ─────────────────────────────────
```

```
T ─────────────────────────────────
A ─────────────────────────────────
B ─────────────────────────────────
```

PRACTICE

....

....

....

....

....

....

DATE ....

```
T
A
B
```

```
T
A
B
```

```
T
A
B
```

PRACTICE

....

....

....

....

....

....

....

STAND UP AND MOVE

Okay, so practising on your own like this feels a bit silly to be honest...

But the point is that being a performer is a huge part of being a guitar player. There is nothing more dull that watching the guitarist who just stands and stares at his fingers.

Rule one - look up. Address your audience - however small or ugly they may be. Just stare at a spot on the back wall if needed.

Rule two - move your body! When you have next nailed a piece or a riff, try playing it while throwing some shapes!

DATE ....

```
T────────────────────────────────
A────────────────────────────────
B────────────────────────────────
```

```
T────────────────────────────────
A────────────────────────────────
B────────────────────────────────
```

```
T────────────────────────────────
A────────────────────────────────
B────────────────────────────────
```

PRACTICE

....

....

....

....

....

....

....

DATE ....

```
T ─────────────────────────────────
─A───────────────────────────────────
─B───────────────────────────────────
─────────────────────────────────────
```

```
T ─────────────────────────────────
─A───────────────────────────────────
─B───────────────────────────────────
─────────────────────────────────────
```

```
T ─────────────────────────────────
─A───────────────────────────────────
─B───────────────────────────────────
─────────────────────────────────────
```

PRACTICE

....

....

....

....

....

....

....

DATE ....

```
T ─────────────────────────────
A ─────────────────────────────
B ─────────────────────────────
```

```
T ─────────────────────────────
A ─────────────────────────────
B ─────────────────────────────
```

```
T ─────────────────────────────
A ─────────────────────────────
B ─────────────────────────────
```

PRACTICE

....

....

....

....

....

....

....

DATE ....

```
T───────────────────────────────
A───────────────────────────────
B───────────────────────────────
```

```
T───────────────────────────────
A───────────────────────────────
B───────────────────────────────
```

```
T───────────────────────────────
A───────────────────────────────
B───────────────────────────────
```

PRACTICE

....

....

....

....

....

....

....

LAST MONTHS ACHIEVEMENTS

_____

_____

_____

_____

_____

_____

_____

↓ THIS MONTHS GUITAR GOALS ↓

1	2
3	4

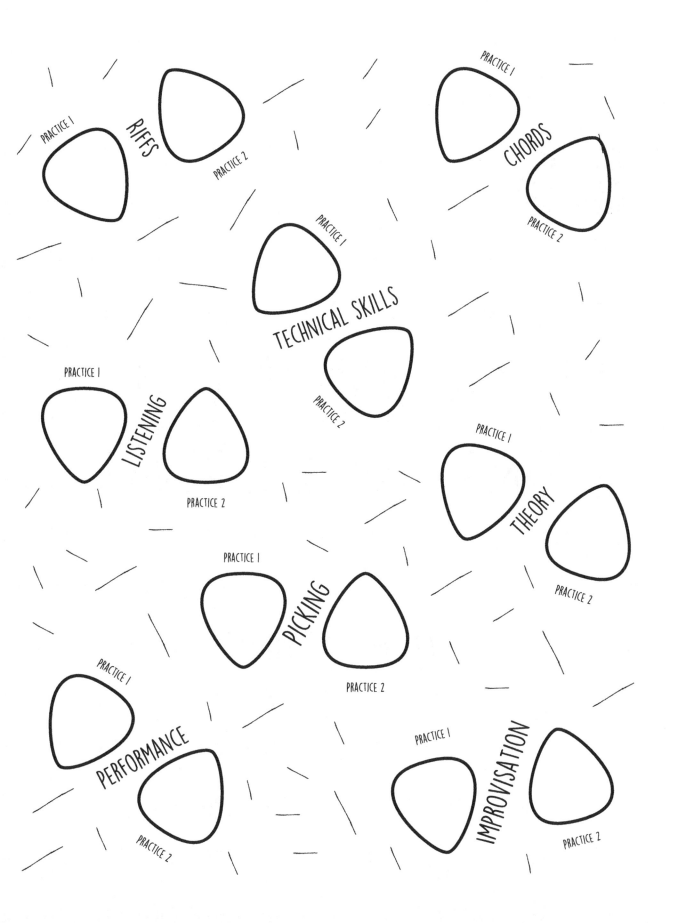

"IF YOU WANNA WRITE A SONG, ASK A GUITAR"

—

NEIL YOUNG

DATE ....

TAB

TAB

TAB

PRACTICE

....

....

....

....

....

....

....

DATE ....

```
T ─────────────────────────────
A ─────────────────────────────
B ─────────────────────────────
```

```
T ─────────────────────────────
A ─────────────────────────────
B ─────────────────────────────
```

```
T ─────────────────────────────
A ─────────────────────────────
B ─────────────────────────────
```

PRACTICE

....

....

....

....

....

....

DATE ....

```
T ─────────────────────────────────
A ─────────────────────────────────
B ─────────────────────────────────
```

```
T ─────────────────────────────────
A ─────────────────────────────────
B ─────────────────────────────────
```

```
T ─────────────────────────────────
A ─────────────────────────────────
B ─────────────────────────────────
```

PRACTICE

....

....

....

....

....

....

....

DATE ....

```
T
A
B
```

```
T
A
B
```

```
T
A
B
```

PRACTICE

....

....

....

....

....

....

....

IT'S A SETUP

Don't make things harder for yourself by fighting against a guitar which isn't in good playing order.

Guitars naturally move about - woods change shape with temperature, strings stretch, screws settle etc...

Every now and then you should take your guitar to a technician to have it set up correctly - trust me there is nothing better than getting your axe back and it playing like butter!

DATE ....

```
T
A
B
```

```
T
A
B
```

```
T
A
B
```

PRACTICE

....

....

....

....

....

....

DATE ....

```
T────────────────────────────
A────────────────────────────
B────────────────────────────
```

```
T────────────────────────────
A────────────────────────────
B────────────────────────────
```

```
T────────────────────────────
A────────────────────────────
B────────────────────────────
```

PRACTICE

....

....

....

....

....

....

DATE ....

```
T ──────────────────────────────────
A ──────────────────────────────────
B ──────────────────────────────────
```

```
T ──────────────────────────────────
A ──────────────────────────────────
B ──────────────────────────────────
```

```
T ──────────────────────────────────
A ──────────────────────────────────
B ──────────────────────────────────
```

PRACTICE

....

....

....

....

....

....

....

DATE ....

```
T ─────────────────────────────
A ─────────────────────────────
B ─────────────────────────────
```

```
T ─────────────────────────────
A ─────────────────────────────
B ─────────────────────────────
```

```
T ─────────────────────────────
A ─────────────────────────────
B ─────────────────────────────
```

PRACTICE

....

....

....

....

....

....

....

"

"IF YOU HIT A WRONG NOTE, THEN MAKE IT RIGHT BY WHAT YOU PLAY AFTERWARDS"

———

JOE PASS

DATE ....

```
T ─────────────────────────────
A ─────────────────────────────
B ─────────────────────────────
```

```
T ─────────────────────────────
A ─────────────────────────────
B ─────────────────────────────
```

```
T ─────────────────────────────
A ─────────────────────────────
B ─────────────────────────────
```

PRACTICE

....

....

....

....

....

....

....

DATE ....

```
T
A
B
```

```
T
A
B
```

```
T
A
B
```

PRACTICE

....

....

....

....

....

....

DATE ....

```
T ─────────────────────────
A ─────────────────────────
B ─────────────────────────
```

```
T ─────────────────────────
A ─────────────────────────
B ─────────────────────────
```

```
T ─────────────────────────
A ─────────────────────────
B ─────────────────────────
```

PRACTICE

....

....

....

....

....

....

DATE ....

T
A
B

T
A
B

T
A
B

PRACTICE

....

....

....

....

....

....

....

MIX IT UP

I'm always banging on about variety and diversity in your playing... I just think there is no value in being a one trick pony.

All the best players have eclectic tastes, and if you don't incorporate different flavours into your playing, how are you going to create anything new?!

Think about the music that is out of your comfort zone, and go play it!

DATE ....

```
T
A
B
```

```
T
A
B
```

```
T
A
B
```

PRACTICE

....

....

....

....

....

....

....

DATE ....

```
T ————————————————————————————
A ————————————————————————————
B ————————————————————————————
```

```
T ————————————————————————————
A ————————————————————————————
B ————————————————————————————
```

```
T ————————————————————————————
A ————————————————————————————
B ————————————————————————————
```

PRACTICE

....

....

....

....

....

....

....

DATE ....

```
T
A
B
```

```
T
A
B
```

```
T
A
B
```

PRACTICE

....

....

....

....

....

....

....

DATE ....

```
T ─────────────────────────
A ─────────────────────────
B ─────────────────────────
```

```
T ─────────────────────────
A ─────────────────────────
B ─────────────────────────
```

```
T ─────────────────────────
A ─────────────────────────
B ─────────────────────────
```

PRACTICE

....

....

....

....

....

....

LAST MONTHS ACHIEVEMENTS

_____

_____

_____

_____

_____

_____

_____

↓ THIS MONTHS GUITAR GOALS ↓

1	2
3	4

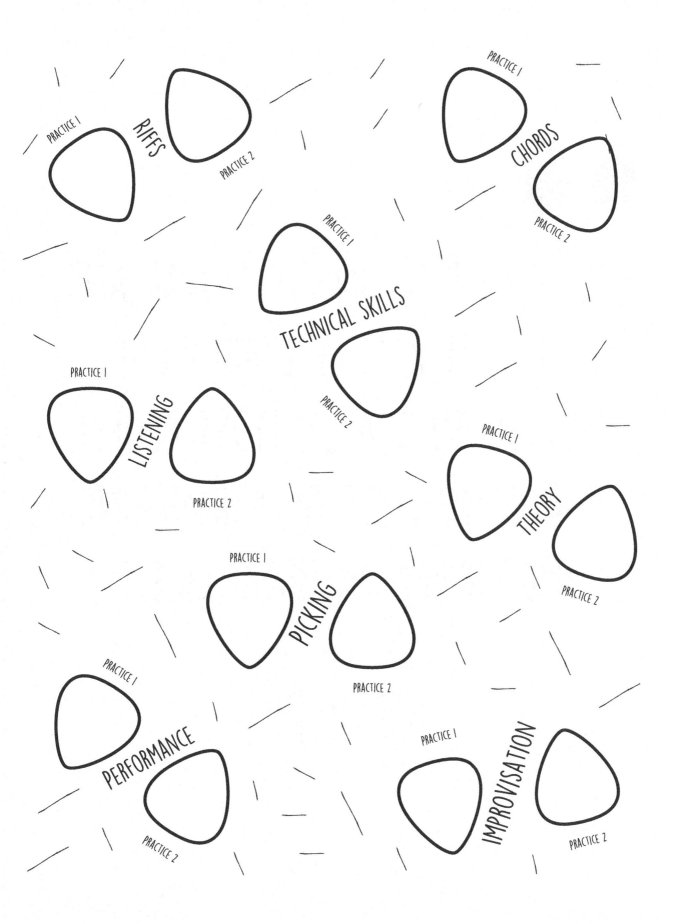

"WHEN I PLUG IN MY GUITAR AND PLAY IT REALLY LOUD, LOUD ENOUGH TO DEAFEN MOST PEOPLE, THAT'S MY SHOT OF ADRENALINE, AND THERE'S NOTHING LIKE IT"

JOE PERRY

DATE ....

TAB

TAB

TAB

PRACTICE

....

....

....

....

....

....

....

DATE ....

```
T
A
B
```

```
T
A
B
```

```
T
A
B
```

PRACTICE

....

....

....

....

....

....

....

DATE ....

```
T ─────────────────────────────────
A ─────────────────────────────────
B ─────────────────────────────────
```

```
T ─────────────────────────────────
A ─────────────────────────────────
B ─────────────────────────────────
```

```
T ─────────────────────────────────
A ─────────────────────────────────
B ─────────────────────────────────
```

PRACTICE

....

....

....

....

....

....

....

DATE ....

```
T
A
B
```

```
T
A
B
```

```
T
A
B
```

PRACTICE

....

....

....

....

....

....

....

MUSCLE MEMORY

Are you familiar with the term 'muscle memory' and how important it is for a musician?

Muscle memory is the way skills become ingrained in the brain through the creation of motor memory.

This is a vital skill for musicians. It is the difference between having to actively think through every action during a performance, and getting in a zone where you can just play!

Think about what aspects of your guitar playing have become muscle memory, and which need more attention.

DATE ....

```
T ─────────────────────────────────────────
A ─────────────────────────────────────────
B ─────────────────────────────────────────
```

```
T ─────────────────────────────────────────
A ─────────────────────────────────────────
B ─────────────────────────────────────────
```

```
T ─────────────────────────────────────────
A ─────────────────────────────────────────
B ─────────────────────────────────────────
```

PRACTICE

....

....

....

....

....

....

....

DATE ....

```
T ─────────────────────────
A ─────────────────────────
B ─────────────────────────
```

```
T ─────────────────────────
A ─────────────────────────
B ─────────────────────────
```

```
T ─────────────────────────
A ─────────────────────────
B ─────────────────────────
```

PRACTICE

....

....

....

....

....

....

....

DATE ....

```
T ─────────────────────────────
A ─────────────────────────────
B ─────────────────────────────
```

```
T ─────────────────────────────
A ─────────────────────────────
B ─────────────────────────────
```

```
T ─────────────────────────────
A ─────────────────────────────
B ─────────────────────────────
```

PRACTICE

....

....

....

....

....

....

....

DATE ....

```
T ─────────────────────────────
A ─────────────────────────────
B ─────────────────────────────
```

```
T ─────────────────────────────
A ─────────────────────────────
B ─────────────────────────────
```

```
T ─────────────────────────────
A ─────────────────────────────
B ─────────────────────────────
```

PRACTICE

....

....

....

....

....

....

....

"I NEVER SET MYSELF TOO
HIGH A GOAL. IT WAS
ALWAYS TONE AND
FEELING, FOR ME."

———

ERIC CLAPTON

DATE ....

```
T
A
B
```

```
T
A
B
```

```
T
A
B
```

PRACTICE

....

....

....

....

....

....

....

DATE ....

TAB

TAB

TAB

PRACTICE

....

....

....

....

....

....

....

DATE ....

```
T
A
B
```

```
T
A
B
```

```
T
A
B
```

PRACTICE

....

....

....

....

....

....

DATE ....

```
T ─────────────────────────────────
A ─────────────────────────────────
B ─────────────────────────────────
```

```
T ─────────────────────────────────
A ─────────────────────────────────
B ─────────────────────────────────
```

```
T ─────────────────────────────────
A ─────────────────────────────────
B ─────────────────────────────────
```

PRACTICE

....

....

....

....

....

....

....

EARS ARE EVERYTHING

Never underestimate how much you are learning when you are listening!

This might be listening to music (and I mean REALLY listening, not just having music on) or it might be the art of listening to the other musicians when you are playing.

Both are important skills in your musical development.

DATE ....

```
T
A
B
```

```
T
A
B
```

```
T
A
B
```

PRACTICE

....

....

....

....

....

....

DATE ....

```
T ─────────────────────────────────
A ─────────────────────────────────
B ─────────────────────────────────
```

```
T ─────────────────────────────────
A ─────────────────────────────────
B ─────────────────────────────────
```

```
T ─────────────────────────────────
A ─────────────────────────────────
B ─────────────────────────────────
```

PRACTICE

....

....

....

....

....

....

DATE ....

```
T ──────────────────────────────
A ──────────────────────────────
B ──────────────────────────────
```

```
T ──────────────────────────────
A ──────────────────────────────
B ──────────────────────────────
```

```
T ──────────────────────────────
A ──────────────────────────────
B ──────────────────────────────
```

PRACTICE

....

....

....

....

....

....

....

DATE ....

```
T _____
A _____
B _____
```

```
T _____
A _____
B _____
```

```
T _____
A _____
B _____
```

PRACTICE

....

....

....

....

....

....

LAST MONTHS ACHIEVEMENTS

_____

_____

_____

_____

_____

_____

↓ THIS MONTHS GUITAR GOALS ↓

1	2
3	4

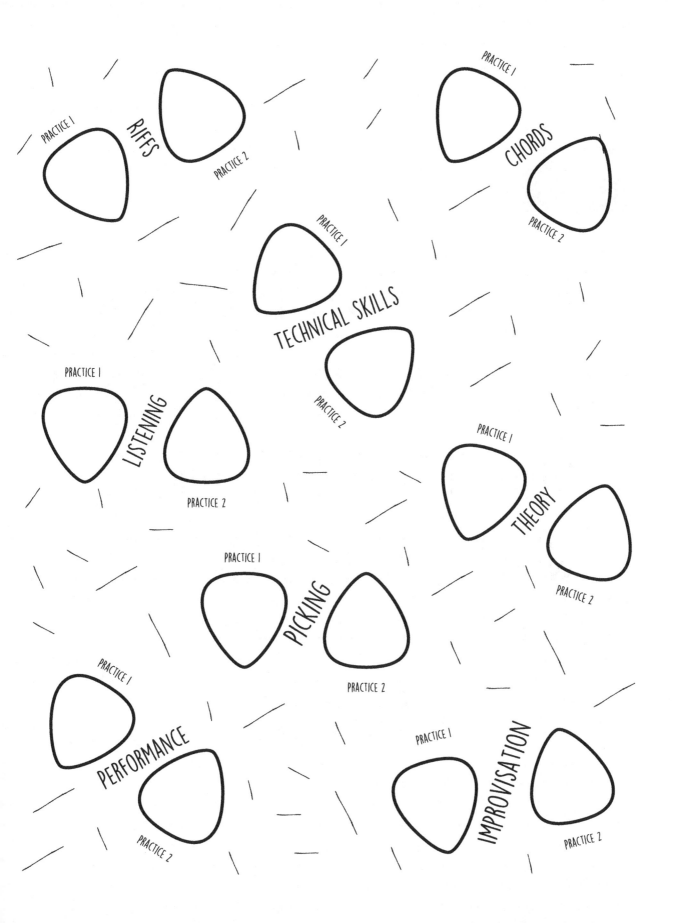

"WE ALL HAVE IDOLS. PLAY
LIKE ANYONE YOU CARE ABOUT
BUT TRY TO BE YOURSELF
WHILE YOU'RE DOING SO"

———

BB KING

DATE ....

TAB
_____
_____
_____
_____

TAB
_____
_____
_____
_____

TAB
_____
_____
_____
_____

PRACTICE

....

....

....

....

....

....

....

DATE ....

```
T
A
B
```

```
T
A
B
```

```
T
A
B
```

PRACTICE

....

....

....

....

....

....

....

DATE ....

```
T─────────────────────────
A─────────────────────────
B─────────────────────────
```

```
T─────────────────────────
A─────────────────────────
B─────────────────────────
```

```
T─────────────────────────
A─────────────────────────
B─────────────────────────
```

PRACTICE

....

....

....

....

....

....

....

DATE ....

```
T————————————————————————
A————————————————————————
B————————————————————————
```

```
T————————————————————————
A————————————————————————
B————————————————————————
```

```
T————————————————————————
A————————————————————————
B————————————————————————
```

PRACTICE

....

....

....

....

....

....

REIN IT IN...

Just an observation, but do loads of guitarists over do it with the gain?

You know when the guitar tone is so fizzy and clipped that you can barely hear the tones the instrument is making....

Especially when you're playing with a band, an overly distorted guitar just ends up getting lost and mushy.

Unless you're playing metal and heavy rock (and even then sometimes), I bet your tone would be fuller if you flicked the distortion down a notch.

Give it a go!

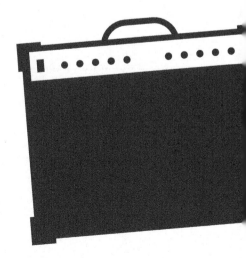

DATE ....

```
T——————————————————————
A——————————————————————
B——————————————————————
```

```
T——————————————————————
A——————————————————————
B——————————————————————
```

```
T——————————————————————
A——————————————————————
B——————————————————————
```

PRACTICE

....

....

....

....

....

....

....

DATE ....

```
T ─────────────────────────────
A ─────────────────────────────
B ─────────────────────────────
```

```
T ─────────────────────────────
A ─────────────────────────────
B ─────────────────────────────
```

```
T ─────────────────────────────
A ─────────────────────────────
B ─────────────────────────────
```

PRACTICE

....

....

....

....

....

....

....

DATE ....

```
T ──────────────────────────────
A ──────────────────────────────
B ──────────────────────────────
```

```
T ──────────────────────────────
A ──────────────────────────────
B ──────────────────────────────
```

```
T ──────────────────────────────
A ──────────────────────────────
B ──────────────────────────────
```

PRACTICE

....

....

....

....

....

....

....

DATE ....

```
T _____
A _____
B _____
```

```
T _____
A _____
B _____
```

```
T _____
A _____
B _____
```

PRACTICE

....

....

....

....

....

....

"THE GUITAR IS LIKE A CUISINE AND YOU CAN'T EXPECT PEOPLE TO EAT THE SAME THING ALL THE TIME."

———————

RICHARD LLOYD

DATE ....

```
T _____
A _____
B _____


T _____
A _____
B _____


T _____
A _____
B _____
```

PRACTICE

....

....

....

....

....

....

....

DATE ....

T
A
B

T
A
B

T
A
B

PRACTICE

....

....

....

....

....

....

DATE ....

```
T───────────────────────────────
A───────────────────────────────
B───────────────────────────────
 ───────────────────────────────
```

```
T───────────────────────────────
A───────────────────────────────
B───────────────────────────────
 ───────────────────────────────
```

```
T───────────────────────────────
A───────────────────────────────
B───────────────────────────────
 ───────────────────────────────
```

PRACTICE

....

....

....

....

....

....

....

DATE ....

```
T————————————————————
A————————————————————
B————————————————————
```

```
T————————————————————
A————————————————————
B————————————————————
```

```
T————————————————————
A————————————————————
B————————————————————
```

PRACTICE

....

....

....

....

....

....

....

THE CAPO IS NOT JUST FOR SINGERS

You can use a capo in a creative way to change the range and structure of your chord progressions.

Here is a good practice - take a chord progression you already know, then use a capo to play the sequence (in the same key!) at different positions up the neck.

The same notes at a different pitch can really change the feel of a pattern, and many bands use this approach to thicken up their sound - have one guitarist playing open chords and one capoed up the neck for absolute lushness!

DATE ....

```
T ──────────────────────
A ──────────────────────
B ──────────────────────
```

```
T ──────────────────────
A ──────────────────────
B ──────────────────────
```

```
T ──────────────────────
A ──────────────────────
B ──────────────────────
```

PRACTICE

....

....

....

....

....

....

....

DATE ....

```
T ————————————————————————
A ————————————————————————
B ————————————————————————
```

```
T ————————————————————————
A ————————————————————————
B ————————————————————————
```

```
T ————————————————————————
A ————————————————————————
B ————————————————————————
```

PRACTICE

....

....

....

....

....

....

DATE ....

T
A
B

T
A
B

T
A
B

PRACTICE

....

....

....

....

....

....

....

DATE ....

```
T ─────────────────────────────────
A ─────────────────────────────────
B ─────────────────────────────────
```

```
T ─────────────────────────────────
A ─────────────────────────────────
B ─────────────────────────────────
```

```
T ─────────────────────────────────
A ─────────────────────────────────
B ─────────────────────────────────
```

PRACTICE

....

....

....

....

....

....

....

LAST MONTHS ACHIEVEMENTS

_____

_____

_____

_____

_____

_____

↓ THIS MONTHS GUITAR GOALS ↓

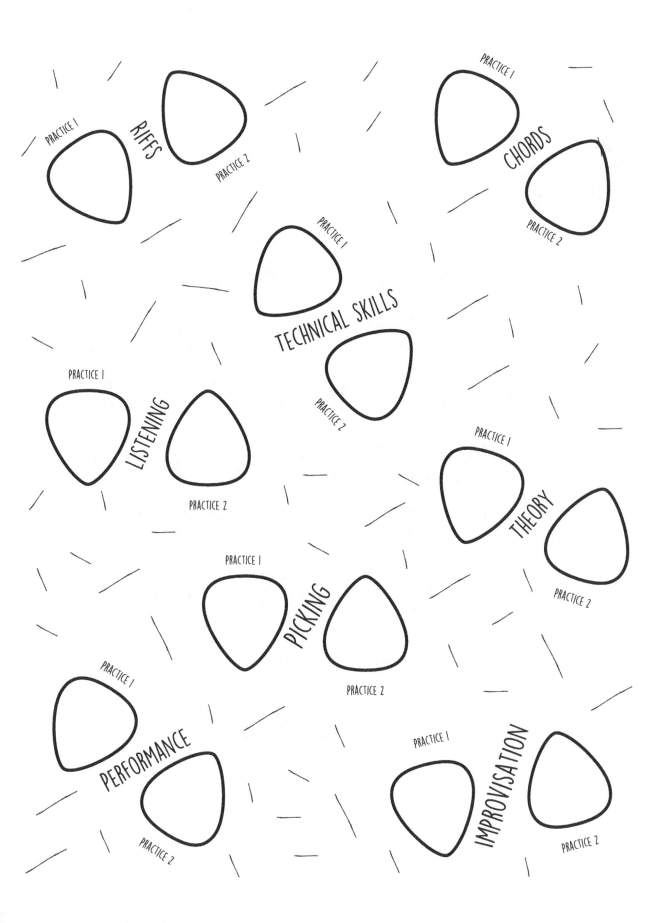

"A GUITAR BEING PLAYED BY AN ACTUAL PERSON IS NEVER GOING TO BE AS PRECISE AND PERFECT AS A PROGRAMMED SYNTHESIZER. BUT WE MAINTAIN THERE IS VALUE IN THE POTENTIAL FOR HUMAN ERROR."

———

MATT BELLAMY

DATE ....

```
T ─────────────────────────
A ─────────────────────────
B ─────────────────────────
```

```
T ─────────────────────────
A ─────────────────────────
B ─────────────────────────
```

```
T ─────────────────────────
A ─────────────────────────
B ─────────────────────────
```

PRACTICE

....

....

....

....

....

....

DATE ....

```
T
A
B
```

```
T
A
B
```

```
T
A
B
```

PRACTICE

....

....

....

....

....

....

....

DATE ....

```
T ——————————————————————
A ——————————————————————
B ——————————————————————
```

```
T ——————————————————————
A ——————————————————————
B ——————————————————————
```

```
T ——————————————————————
A ——————————————————————
B ——————————————————————
```

PRACTICE

....

....

....

....

....

....

....

DATE

....

```
T
A
B
```

```
T
A
B
```

```
T
A
B
```

PRACTICE

....

....

....

....

....

....

....

AMP EQ

Setting the EQ on your amp - here's a tip for you!

Adjust your treble control using an open D chord, the middle using an open A and the bass using an open E.

The resonances of each chord seem to work well with these respective tone frequencies.

To find the 'sweet spot', dial back the control and then slowly turn it up until you hear it noticeably colour the sound.

DATE ....

```
T ————————————————————————————
A ————————————————————————————
B ————————————————————————————
```

```
T ————————————————————————————
A ————————————————————————————
B ————————————————————————————
```

```
T ————————————————————————————
A ————————————————————————————
B ————————————————————————————
```

PRACTICE

....

....

....

....

....

....

....

DATE ....

```
T ─────────────────────────────
A ─────────────────────────────
B ─────────────────────────────
  ─────────────────────────────
```

```
T ─────────────────────────────
A ─────────────────────────────
B ─────────────────────────────
  ─────────────────────────────
```

```
T ─────────────────────────────
A ─────────────────────────────
B ─────────────────────────────
  ─────────────────────────────
```

PRACTICE

....

....

....

....

....

....

....

DATE ....

T
A
B

T
A
B

T
A
B

PRACTICE

....
....
....
....
....
....
....

DATE ....

```
T
A
B
```

```
T
A
B
```

```
T
A
B
```

PRACTICE

....

....

....

....

....

....

....

"GUITAR MUSIC OR ROCK N' ROLL OR WHATEVER YOU WANT TO CALL IT SORT OF GOES AWAY WITH TRENDS, BUT IT'LL NEVER GO AWAY COMPLETELY. IT CAN'T DIE BECAUSE IT'S SO FUNDAMENTALLY ATTRACTIVE"

———

ALEX TURNER

DATE ....

```
T
A
B
```

```
T
A
B
```

```
T
A
B
```

PRACTICE

....

....

....

....

....

....

DATE ....

```
T
A
B
```

```
T
A
B
```

```
T
A
B
```

PRACTICE

....

....

....

....

....

....

....

DATE ....

```
T ─────────────────────────────
A ─────────────────────────────
B ─────────────────────────────
```

```
T ─────────────────────────────
A ─────────────────────────────
B ─────────────────────────────
```

```
T ─────────────────────────────
A ─────────────────────────────
B ─────────────────────────────
```

PRACTICE

....

....

....

....

....

....

....

DATE ....

```
T————————————————————————————
A————————————————————————————
B————————————————————————————
```

```
T————————————————————————————
A————————————————————————————
B————————————————————————————
```

```
T————————————————————————————
A————————————————————————————
B————————————————————————————
```

PRACTICE

....

....

....

....

....

....

....

IT'S NOT (ALL) ABOUT YOU

I would say 90-95 percent of being a guitar player is about supporting, rather than leading.

Make sure that you are spending as much time and concentration on different aspects of rhythm playing as well as solo work!

DATE ....

```
T|————————————————————
A|————————————————————
B|————————————————————
```

```
T|————————————————————
A|————————————————————
B|————————————————————
```

```
T|————————————————————
A|————————————————————
B|————————————————————
```

PRACTICE

....

....

....

....

....

....

DATE ....

```
T————————————————————————————
A————————————————————————————
A————————————————————————————
B————————————————————————————
```

```
T————————————————————————————
A————————————————————————————
A————————————————————————————
B————————————————————————————
```

```
T————————————————————————————
A————————————————————————————
A————————————————————————————
B————————————————————————————
```

PRACTICE

....

....

....

....

....

....

....

DATE ....

```
T ────────────────────────────────────
A ────────────────────────────────────
B ────────────────────────────────────
```

```
T ────────────────────────────────────
A ────────────────────────────────────
B ────────────────────────────────────
```

```
T ────────────────────────────────────
A ────────────────────────────────────
B ────────────────────────────────────
```

PRACTICE

....

....

....

....

....

....

DATE ....

PRACTICE

....

....

....

....

....

....

....

LAST MONTHS ACHIEVEMENTS

_____

_____

_____

_____

_____

_____

_____

↓ THIS MONTHS GUITAR GOALS ↓

1	2
3	4

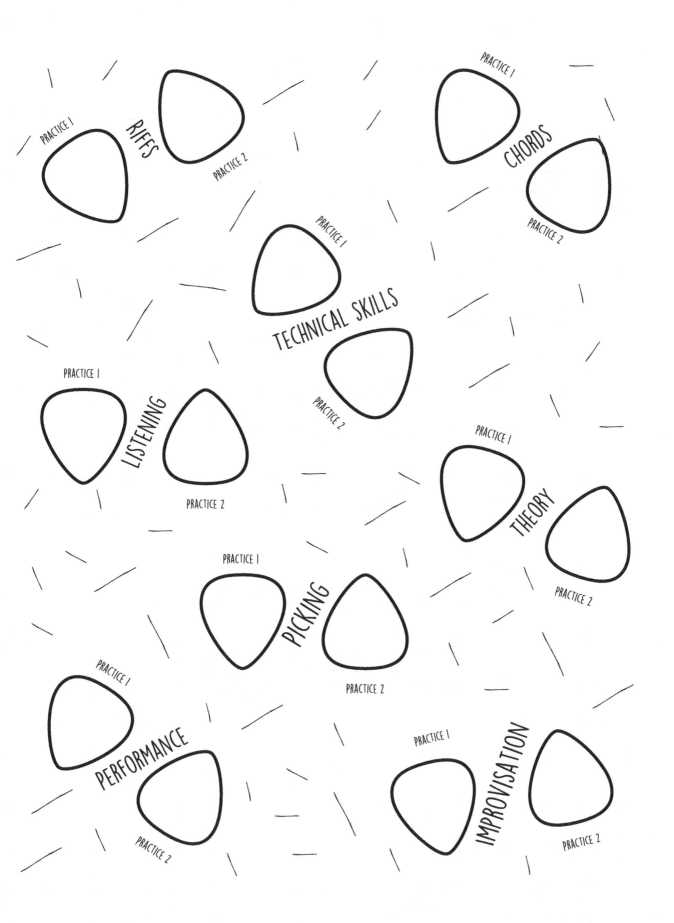

"

"TO HELL WITH THE RULES.
IF IT SOUNDS RIGHT,
THEN IT IS."

———

EDDIE VAN HALEN

DATE ....

```
T─────────────────────────────────
A─────────────────────────────────
B─────────────────────────────────
─────────────────────────────────
```

```
T─────────────────────────────────
A─────────────────────────────────
B─────────────────────────────────
─────────────────────────────────
```

```
T─────────────────────────────────
A─────────────────────────────────
B─────────────────────────────────
─────────────────────────────────
```

PRACTICE

....

....

....

....

....

....

....

DATE ....

```
T
A
B
```

```
T
A
B
```

```
T
A
B
```

PRACTICE

....

....

....

....

....

....

....

DATE ....

```
T ─────────────────────
A ─────────────────────
B ─────────────────────
```

```
T ─────────────────────
A ─────────────────────
B ─────────────────────
```

```
T ─────────────────────
A ─────────────────────
B ─────────────────────
```

PRACTICE

....
....
....
....
....
....
....

DATE ....

PRACTICE

....

....

....

....

....

....

....

ALTERNATE TUNINGS

Only ever use standard tuning?

When you get bored of those same old open chord shapes, its time to start twisting that tuning peg!

Try open chord tunings for slide playing, or DADGAD for finger-picking and you might find yourself suddenly inspired!

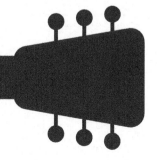

DATE ....

```
T ──────────────────────────────
A ──────────────────────────────
B ──────────────────────────────
```

```
T ──────────────────────────────
A ──────────────────────────────
B ──────────────────────────────
```

```
T ──────────────────────────────
A ──────────────────────────────
B ──────────────────────────────
```

PRACTICE

....

....

....

....

....

....

DATE ....

```
T ─────────────────────
A ─────────────────────
B ─────────────────────
```

```
T ─────────────────────
A ─────────────────────
B ─────────────────────
```

```
T ─────────────────────
A ─────────────────────
B ─────────────────────
```

PRACTICE

....

....

....

....

....

....

....

DATE ....

```
T ─────────────────────────────
A ─────────────────────────────
B ─────────────────────────────
```

```
T ─────────────────────────────
A ─────────────────────────────
B ─────────────────────────────
```

```
T ─────────────────────────────
A ─────────────────────────────
B ─────────────────────────────
```

PRACTICE

....

....

....

....

....

....

....

DATE ....

```
T ————————————————————
A ————————————————————
B ————————————————————
```

```
T ————————————————————
A ————————————————————
B ————————————————————
```

```
T ————————————————————
A ————————————————————
B ————————————————————
```

PRACTICE

....

....

....

....

....

....

"I DON'T SEE WHY I CAN'T LISTEN TO MILES DAVIS AND SLIPKNOT IN THE SAME AFTERNOON"

———————

STEVE LUKATHER

DATE ....

```
T
A
B
```

```
T
A
B
```

```
T
A
B
```

PRACTICE

....

....

....

....

....

....

....

DATE ....

```
T
A
B
```

```
T
A
B
```

```
T
A
B
```

PRACTICE

....

....

....

....

....

....

....

DATE ....

```
T
A
B
```

```
T
A
B
```

```
T
A
B
```

PRACTICE

....

....

....

....

....

....

....

DATE ....

TAB

TAB

TAB

PRACTICE

....

....

....

....

....

....

....

TAKE IT TO THE BRIDGE BABY

Trying to find new sounds from your guitar?

Ever tried plucking the string right down by the bridge?

You can get a lovely bright chimey sound doing this and it works perfectly with loads of chorus effect.

DATE ....

```
T ——————————————————
A ——————————————————
A ——————————————————
B ——————————————————
```

```
T ——————————————————
A ——————————————————
A ——————————————————
B ——————————————————
```

```
T ——————————————————
A ——————————————————
A ——————————————————
B ——————————————————
```

PRACTICE

....

....

....

....

....

....

DATE ....

```
T ────────────────────────────
A ────────────────────────────
B ────────────────────────────
```

```
T ────────────────────────────
A ────────────────────────────
B ────────────────────────────
```

```
T ────────────────────────────
A ────────────────────────────
B ────────────────────────────
```

PRACTICE

....

....

....

....

....

....

DATE ....

```
T ─────────────────────────
A ─────────────────────────
B ─────────────────────────
```

```
T ─────────────────────────
A ─────────────────────────
B ─────────────────────────
```

```
T ─────────────────────────
A ─────────────────────────
B ─────────────────────────
```

PRACTICE

....

....

....

....

....

....

DATE ....

```
T ─────────────────────────────
A ─────────────────────────────
B ─────────────────────────────
```

```
T ─────────────────────────────
A ─────────────────────────────
B ─────────────────────────────
```

```
T ─────────────────────────────
A ─────────────────────────────
B ─────────────────────────────
```

PRACTICE

....

....

....

....

....

....

....

LAST MONTHS ACHIEVEMENTS

↓ THIS MONTHS GUITAR GOALS ↓

1	2
3	4

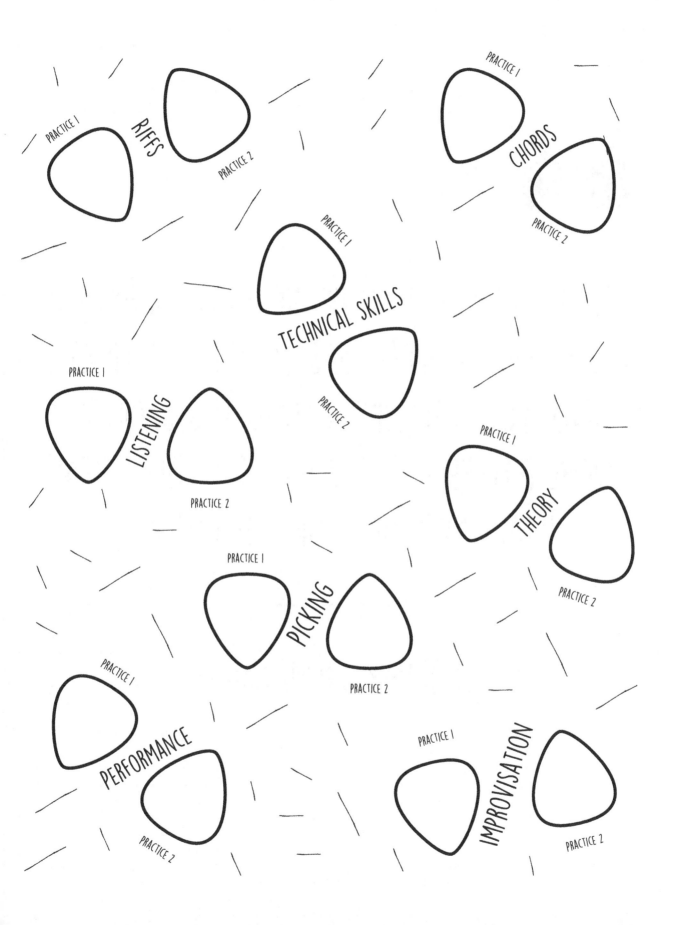

"ONE DAY YOU PICK UP THE GUITAR AND YOU FEEL LIKE A GREAT MASTER, AND THE NEXT DAY YOU FEEL LIKE A FOOL. IT'S BECAUSE WE'RE DIFFERENT EVERY DAY, BUT THE GUITAR IS ALWAYS THE SAME... BEAUTIFUL"

TOMMY EMMANUEL

DATE ....

```
T
A
B
```

```
T
A
B
```

```
T
A
B
```

PRACTICE

....

....

....

....

....

....

....

DATE ....

```
T————————————————————
A————————————————————
B————————————————————

T————————————————————
A————————————————————
B————————————————————

T————————————————————
A————————————————————
B————————————————————
```

PRACTICE

....

....

....

....

....

....

DATE ....

T
A
B

T
A
B

T
A
B

PRACTICE

....

....

....

....

....

....

....

DATE ....

```
T
A
B
```

```
T
A
B
```

```
T
A
B
```

PRACTICE

....

....

....

....

....

....

....

HAVE YOU PICKED THE RIGHT PICK?

All plectrums are not created equal!

So many different shapes, sizes, grip and thicknesses are available.

Try using a real thin one to make your electric sound more like an acoustic.

Or a small, thick pick for fast accurate solo work.

Sweaty hands? You can get picks with sandpaper like grip!

DATE ....

```
T
A
B
```

```
T
A
B
```

```
T
A
B
```

PRACTICE

....

....

....

....

....

....

....

DATE ....

```
T ──────────────────────────────
A ──────────────────────────────
B ──────────────────────────────
```

```
T ──────────────────────────────
A ──────────────────────────────
B ──────────────────────────────
```

```
T ──────────────────────────────
A ──────────────────────────────
B ──────────────────────────────
```

PRACTICE

....

....

....

....

....

....

DATE ....

```
T ─────────────────────────────
A ─────────────────────────────
B ─────────────────────────────
```

```
T ─────────────────────────────
A ─────────────────────────────
B ─────────────────────────────
```

```
T ─────────────────────────────
A ─────────────────────────────
B ─────────────────────────────
```

PRACTICE

....

....

....

....

....

....

....

DATE ....

```
T ─────────────────────────────────────
A ─────────────────────────────────────
B ─────────────────────────────────────
```

```
T ─────────────────────────────────────
A ─────────────────────────────────────
B ─────────────────────────────────────
```

```
T ─────────────────────────────────────
A ─────────────────────────────────────
B ─────────────────────────────────────
```

PRACTICE

....

....

....

....

....

....

"I BELIEVE EVERY GUITAR PLAYER INHERENTLY HAS SOMETHING UNIQUE ABOUT THEIR PLAYING. THEY JUST HAVE TO IDENTIFY WHAT MAKES THEM DIFFERENT AND DEVELOP IT."

———

JIMMY PAGE

DATE ....

```
T———————————————————————————
A———————————————————————————
B———————————————————————————
```

```
T———————————————————————————
A———————————————————————————
B———————————————————————————
```

```
T———————————————————————————
A———————————————————————————
B———————————————————————————
```

PRACTICE

....

....

....

....

....

....

....

DATE ....

```
T ────────────────────────────────
A ────────────────────────────────
B ────────────────────────────────
```

```
T ────────────────────────────────
A ────────────────────────────────
B ────────────────────────────────
```

```
T ────────────────────────────────
A ────────────────────────────────
B ────────────────────────────────
```

PRACTICE

....

....

....

....

....

....

....

DATE ....

```
T ─────────────────────
A ─────────────────────
B ─────────────────────
```

```
T ─────────────────────
A ─────────────────────
B ─────────────────────
```

```
T ─────────────────────
A ─────────────────────
B ─────────────────────
```

PRACTICE

....

....

....

....

....

....

....

DATE ....

T
A
B

T
A
B

T
A
B

PRACTICE

....

....

....

....

....

....

....

CREATE A PRACTICE SPACE

Do you have somewhere you play your instrument, or do you just pick it up and sit on the sofa?

Having somewhere with your practice material, a little amp, music stand, picks, capo etc will do wonders for your brain.

You will be more focussed if you have an organised space and getting the work done will not feel like such a chore!

DATE ....

```
T
A
B
```

```
T
A
B
```

```
T
A
B
```

PRACTICE

....

....

....

....

....

....

....

DATE ....

TAB

TAB

TAB

PRACTICE

....

....

....

....

....

....

....

DATE ....

```
T ─────────────────────────────────
A ─────────────────────────────────
B ─────────────────────────────────
```

```
T ─────────────────────────────────
A ─────────────────────────────────
B ─────────────────────────────────
```

```
T ─────────────────────────────────
A ─────────────────────────────────
B ─────────────────────────────────
```

PRACTICE

....

....

....

....

....

....

....

DATE ....

```
T ─────────────────────────────
A ─────────────────────────────
B ─────────────────────────────
```

```
T ─────────────────────────────
A ─────────────────────────────
B ─────────────────────────────
```

```
T ─────────────────────────────
A ─────────────────────────────
B ─────────────────────────────
```

PRACTICE

....

....

....

....

....

....

....

LAST MONTHS ACHIEVEMENTS

↓ THIS MONTHS GUITAR GOALS ↓

1	2
3	4

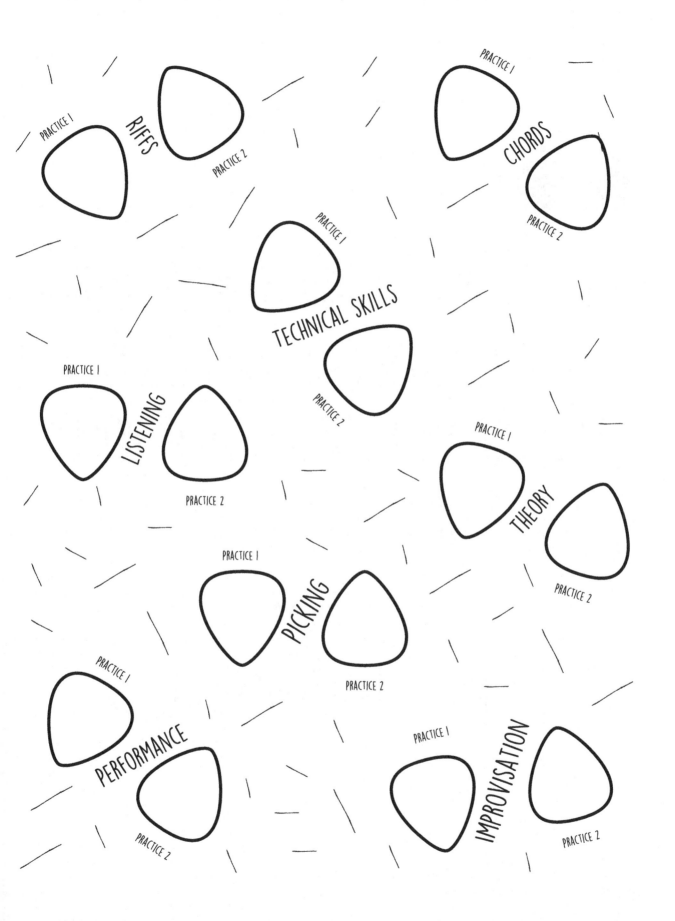

"IF YOU PLAY MUSIC FOR NO OTHER REASON THAN ACTUALLY JUST BECAUSE YOU LOVE IT, THE SKILLS JUST KINDA CREEP UP ON YOU"

———————

NUNO BETTENCOURT

DATE ....

```
T ─────────────────────────────
A ─────────────────────────────
B ─────────────────────────────
  ─────────────────────────────
```

```
T ─────────────────────────────
A ─────────────────────────────
B ─────────────────────────────
  ─────────────────────────────
```

```
T ─────────────────────────────
A ─────────────────────────────
B ─────────────────────────────
  ─────────────────────────────
```

PRACTICE

....

....

....

....

....

....

....

DATE ....

```
T————————————————————————
A————————————————————————
B————————————————————————
```

```
T————————————————————————
A————————————————————————
B————————————————————————
```

```
T————————————————————————
A————————————————————————
B————————————————————————
```

PRACTICE

....

....

....

....

....

....

DATE ....

```
T ————————————————————————————
A ————————————————————————————
B ————————————————————————————
```

```
T ————————————————————————————
A ————————————————————————————
B ————————————————————————————
```

```
T ————————————————————————————
A ————————————————————————————
B ————————————————————————————
```

PRACTICE

....

....

....

....

....

....

....

DATE ....

```
T ─────────────────────────────
A ─────────────────────────────
B ─────────────────────────────
```

```
T ─────────────────────────────
A ─────────────────────────────
B ─────────────────────────────
```

```
T ─────────────────────────────
A ─────────────────────────────
B ─────────────────────────────
```

PRACTICE

....

....

....

....

....

....

HEADSHOT

Did you know guitar amps are very directional?

When practicing or rehearsing, point the speaker towards your head. You will hear the tone much clearer.

In a band practice, the worst thing to do is have your amp by your feet.

You will keep turning it up because it doesn't sound clear and the whole room will end up noisy and muddy.

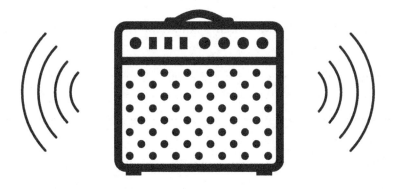

DATE ....

```
T|——————————————————————————
A|——————————————————————————
B|——————————————————————————
```

```
T|——————————————————————————
A|——————————————————————————
B|——————————————————————————
```

```
T|——————————————————————————
A|——————————————————————————
B|——————————————————————————
```

PRACTICE

....

....

....

....

....

....

....

DATE ....

```
T ─────────────────────────────────
A ─────────────────────────────────
B ─────────────────────────────────
```

```
T ─────────────────────────────────
A ─────────────────────────────────
B ─────────────────────────────────
```

```
T ─────────────────────────────────
A ─────────────────────────────────
B ─────────────────────────────────
```

PRACTICE

....

....

....

....

....

....

....

DATE ....

T
A
B

T
A
B

T
A
B

PRACTICE

....

....

....

....

....

....

DATE ....

```
T ─────────────────────────────
A ─────────────────────────────
B ─────────────────────────────
```

```
T ─────────────────────────────
A ─────────────────────────────
B ─────────────────────────────
```

```
T ─────────────────────────────
A ─────────────────────────────
B ─────────────────────────────
```

PRACTICE

....

....

....

....

....

....

"I DON'T WANT YOU TO PLAY ME A RIFF THAT'S GOING TO IMPRESS JOE SATRIANI; GIVE ME A RIFF THAT MAKES A KID WANT TO GO OUT AND BUY A GUITAR AND LEARN TO PLAY"

———————

OZZY OSBOURNE

DATE ....

```
T ————————————————————————————————————
A ————————————————————————————————————
B ————————————————————————————————————
```

```
T ————————————————————————————————————
A ————————————————————————————————————
B ————————————————————————————————————
```

```
T ————————————————————————————————————
A ————————————————————————————————————
B ————————————————————————————————————
```

PRACTICE

....

....

....

....

....

....

DATE ....

```
T
A
B
```

```
T
A
B
```

```
T
A
B
```

PRACTICE

....

....

....

....

....

....

....

DATE ....

```
T ────────────────────────────────────
A ────────────────────────────────────
B ────────────────────────────────────
```

```
T ────────────────────────────────────
A ────────────────────────────────────
B ────────────────────────────────────
```

```
T ────────────────────────────────────
A ────────────────────────────────────
B ────────────────────────────────────
```

PRACTICE

....

....

....

....

....

....

DATE ....

```
T ————————————————————————————
A ————————————————————————————
B ————————————————————————————
```

```
T ————————————————————————————
A ————————————————————————————
B ————————————————————————————
```

```
T ————————————————————————————
A ————————————————————————————
B ————————————————————————————
```

PRACTICE

....

....

....

....

....

....

....

INDEX FINGER BENDS

Do you ever try bending notes with your first finger?

It's normal to develop strength in the other guys, but it's worth practicing some bends using just your index finger - I bet it feels weird!

BB King was the master of this - give it a go and see if it adds some new flavour to your playing

DATE ....

T
A
B

T
A
B

T
A
B

PRACTICE

....

....

....

....

....

....

....

DATE ....

```
T ────────────────────────
A ────────────────────────
B ────────────────────────
```

```
T ────────────────────────
A ────────────────────────
B ────────────────────────
```

```
T ────────────────────────
A ────────────────────────
B ────────────────────────
```

PRACTICE

....

....

....

....

....

....

....

DATE ....

```
T
A
B
```

```
T
A
B
```

```
T
A
B
```

PRACTICE

....

....

....

....

....

....

....

DATE ....

```
T ────────────────────────────────
A ────────────────────────────────
B ────────────────────────────────
```

```
T ────────────────────────────────
A ────────────────────────────────
B ────────────────────────────────
```

```
T ────────────────────────────────
A ────────────────────────────────
B ────────────────────────────────
```

PRACTICE

....

....

....

....

....

....

....

LAST MONTHS ACHIEVEMENTS

↓ THIS MONTHS GUITAR GOALS ↓

1

2

3

4

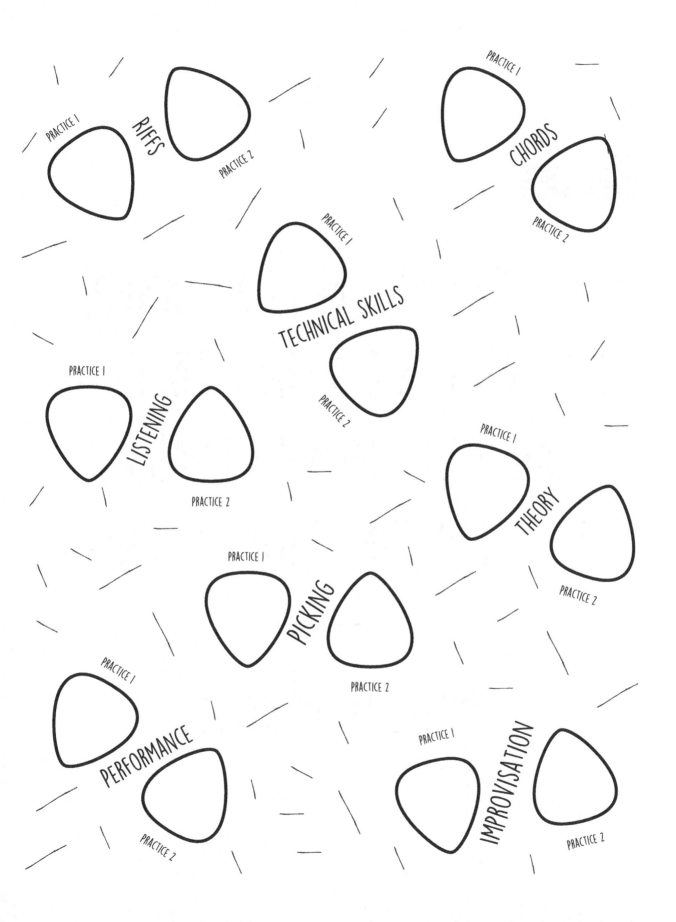

"AS FAR AS I'M CONCERNED, IT'S NO GOOD BEING ABLE TO WAIL OUT SMOKIN' LEADS IF YOUR RHYTHM CHOPS SUCK!"

———————

DIMEBAG DARRELL

DATE ....

```
T ─────────────────────────
A ─────────────────────────
B ─────────────────────────
```

```
T ─────────────────────────
A ─────────────────────────
B ─────────────────────────
```

```
T ─────────────────────────
A ─────────────────────────
B ─────────────────────────
```

PRACTICE

....

....

....

....

....

....

DATE ....

```
T
A
B
```

```
T
A
B
```

```
T
A
B
```

PRACTICE

....

....

....

....

....

....

....

DATE ....

T
A
B

T
A
B

T
A
B

PRACTICE

....

....

....

....

....

....

....

DATE ....

```
T
A
B
```

```
T
A
B
```

```
T
A
B
```

PRACTICE

....

....

....

....

....

....

....

ELECTRIC OR ACOUSTIC?

I say both!

The difference in size, shape, sound and string tension is huge.

Acoustic player with sore fingers and a desire to venture up the neck?

Shredder who wants to develops their gentle side?

I guarantee that spending a bit of time playing the 'other' guitar will improve your playing all round!

DATE ....

```
T ─────────────────────────
A ─────────────────────────
B ─────────────────────────
```

```
T ─────────────────────────
A ─────────────────────────
B ─────────────────────────
```

```
T ─────────────────────────
A ─────────────────────────
B ─────────────────────────
```

PRACTICE

....

....

....

....

....

....

DATE ....

PRACTICE

....

....

....

....

....

....

....

DATE ....

TAB

TAB

TAB

PRACTICE

....

....

....

....

....

....

....

DATE ....

```
T
A
B
```

```
T
A
B
```

```
T
A
B
```

PRACTICE

....

....

....

....

....

....

....

"WITHOUT MUSIC TO DECORATE IT, TIME IS JUST A BUNCH OF BORING DEADLINES OR DATES BY WHICH BILLS MUST BE PAID"

———

FRANK ZAPPA

DATE ....

TAB

TAB

TAB

PRACTICE

....

....

....

....

....

....

....

DATE ....

```
T
A
B
```

```
T
A
B
```

```
T
A
B
```

PRACTICE

....

....

....

....

....

....

....

DATE ....

```
T─────────────────────────────────
A─────────────────────────────────
B─────────────────────────────────
```

```
T─────────────────────────────────
A─────────────────────────────────
B─────────────────────────────────
```

```
T─────────────────────────────────
A─────────────────────────────────
B─────────────────────────────────
```

PRACTICE

....

....

....

....

....

....

....

DATE ....

```
T —————————————————————————————
A —————————————————————————————
B —————————————————————————————
```

```
T —————————————————————————————
A —————————————————————————————
B —————————————————————————————
```

```
T —————————————————————————————
A —————————————————————————————
B —————————————————————————————
```

PRACTICE

....

....

....

....

....

....

TONE TIME

Set aside a practice session every now and then to work on your tone and getting the sound you want from your gear.

But don't spend ten minutes of each practice session turning knobs and chasing a sound, that's not productive!

DATE ....

```
T
A
B
```

```
T
A
B
```

```
T
A
B
```

PRACTICE

....

....

....

....

....

....

....

DATE ....

```
T ─────────────────────────────────
A ─────────────────────────────────
B ─────────────────────────────────
```

```
T ─────────────────────────────────
A ─────────────────────────────────
B ─────────────────────────────────
```

```
T ─────────────────────────────────
A ─────────────────────────────────
B ─────────────────────────────────
```

PRACTICE

....

....

....

....

....

....

DATE ....

TAB

TAB

TAB

PRACTICE

....

....

....

....

....

....

....

DATE ....

```
T ————————————————————————————————
A ————————————————————————————————
B ————————————————————————————————
```

```
T ————————————————————————————————
A ————————————————————————————————
B ————————————————————————————————
```

```
T ————————————————————————————————
A ————————————————————————————————
B ————————————————————————————————
```

PRACTICE

....

....

....

....

....

....

LAST MONTHS ACHIEVEMENTS

↓ THIS MONTHS GUITAR GOALS ↓

1

2

3

4

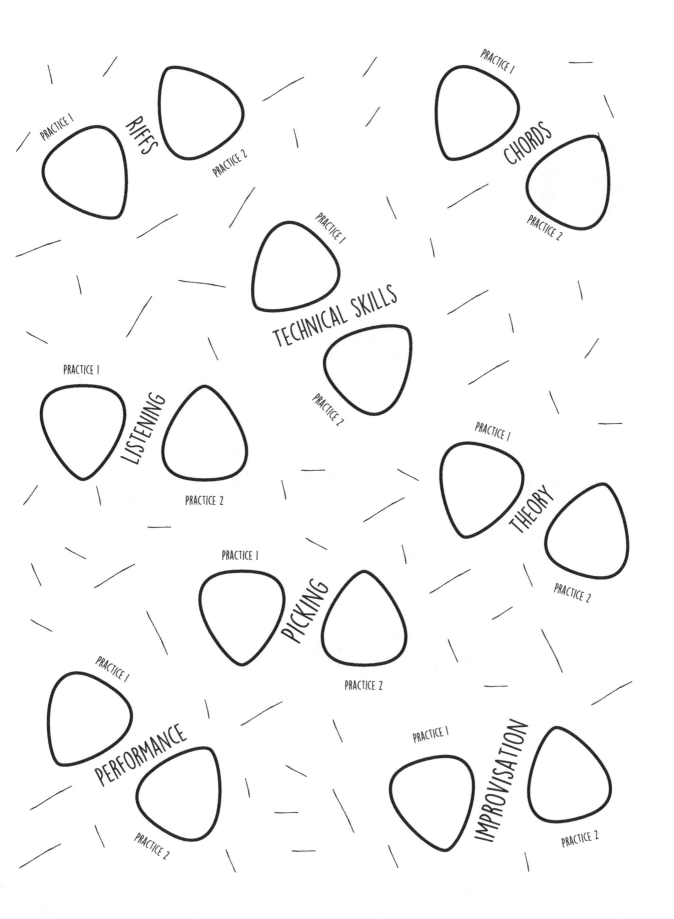

"LEARN THE LICK, BUT LEARN FROM THE LICK"

———

SCOTT HENDERSON

DATE ....

```
T ─────────────────────────────
A ─────────────────────────────
B ─────────────────────────────
```

```
T ─────────────────────────────
A ─────────────────────────────
B ─────────────────────────────
```

```
T ─────────────────────────────
A ─────────────────────────────
B ─────────────────────────────
```

PRACTICE

....

....

....

....

....

....

DATE ....

```
T ────────────────────
A ────────────────────
B ────────────────────
```

```
T ────────────────────
A ────────────────────
B ────────────────────
```

```
T ────────────────────
A ────────────────────
B ────────────────────
```

PRACTICE

....

....

....

....

....

....

....

DATE ....

```
T
A
B
```

```
T
A
B
```

```
T
A
B
```

PRACTICE

....

....

....

....

....

....

....

DATE ....

```
T
A
B
```

```
T
A
B
```

```
T
A
B
```

PRACTICE

....

....

....

....

....

....

CONTEXT IS KEY

Ever heard someone playing extremely fast impressive stuff just because they can?

It might be technically impressive, but if it's not done tastefully, it's not musical!

Part of learning any new technique is learning how to meaningfully incorporate it into your music

DATE ....

TAB

TAB

TAB

PRACTICE

....

....

....

....

....

....

....

DATE ....

```
T ————————————————————————————
A ————————————————————————————
B ————————————————————————————
```

```
T ————————————————————————————
A ————————————————————————————
B ————————————————————————————
```

```
T ————————————————————————————
A ————————————————————————————
B ————————————————————————————
```

PRACTICE

....

....

....

....

....

....

DATE ....

```
T━━━━━━━━━━━━━━━━━━━━━━━━━━━━━━━━━━━
A━━━━━━━━━━━━━━━━━━━━━━━━━━━━━━━━━━━
B━━━━━━━━━━━━━━━━━━━━━━━━━━━━━━━━━━━
```

```
T━━━━━━━━━━━━━━━━━━━━━━━━━━━━━━━━━━━
A━━━━━━━━━━━━━━━━━━━━━━━━━━━━━━━━━━━
B━━━━━━━━━━━━━━━━━━━━━━━━━━━━━━━━━━━
```

```
T━━━━━━━━━━━━━━━━━━━━━━━━━━━━━━━━━━━
A━━━━━━━━━━━━━━━━━━━━━━━━━━━━━━━━━━━
B━━━━━━━━━━━━━━━━━━━━━━━━━━━━━━━━━━━
```

PRACTICE

....

....

....

....

....

....

....

DATE ....

```
T ─────────────────────────────
A ─────────────────────────────
B ─────────────────────────────
```

```
T ─────────────────────────────
A ─────────────────────────────
B ─────────────────────────────
```

```
T ─────────────────────────────
A ─────────────────────────────
B ─────────────────────────────
```

PRACTICE

....

....

....

....

....

....

"IN MANY WAYS YOU SHOULD TRY TO PHRASE LIKE YOU'D SPEAK. IMAGINE SOMEONE TALKING TO YOU FOR 20 MINUTES WITH NO PAUSES OR SPACES — IT'D SOUND EXHAUSTING"

———

JOHN ETHERIDGE

DATE ....

```
T ────────────────────────────
A ────────────────────────────
B ────────────────────────────
```

```
T ────────────────────────────
A ────────────────────────────
B ────────────────────────────
```

```
T ────────────────────────────
A ────────────────────────────
B ────────────────────────────
```

PRACTICE

....

....

....

....

....

....

DATE ....

TAB

TAB

TAB

PRACTICE

....

....

....

....

....

....

....

DATE ....

```
T ─────────────────────────────
A ─────────────────────────────
B ─────────────────────────────
─────────────────────────────
```

```
T ─────────────────────────────
A ─────────────────────────────
B ─────────────────────────────
─────────────────────────────
```

```
T ─────────────────────────────
A ─────────────────────────────
B ─────────────────────────────
─────────────────────────────
```

PRACTICE

....

....

....

....

....

....

DATE ....

```
T
A
B
```

```
T
A
B
```

```
T
A
B
```

PRACTICE

....

....

....

....

....

....

....

CUFF YOURSELF

Here's a practice idea - try the 'handcuff' approach. It means restricting the amount of guitar you are using.

For example, try taking a solo using only three frets, or write a blues riff using only 2 strings.

When you impose these limitations, it makes you think a bit more carefully about what you're playing and stops you from going into auto-pilot with your stock phrases.

DATE ....

```
T ─────────────────────────
A ─────────────────────────
B ─────────────────────────
```

```
T ─────────────────────────
A ─────────────────────────
B ─────────────────────────
```

```
T ─────────────────────────
A ─────────────────────────
B ─────────────────────────
```

PRACTICE

....

....

....

....

....

....

DATE ....

```
T
A
B
```

```
T
A
B
```

```
T
A
B
```

PRACTICE

....

....

....

....

....

....

DATE ....

```
T
A
B
```

```
T
A
B
```

```
T
A
B
```

PRACTICE

....

....

....

....

....

....

....

DATE ....

```
T ————————————————————————————
A ————————————————————————————
B ————————————————————————————
```

```
T ————————————————————————————
A ————————————————————————————
B ————————————————————————————
```

```
T ————————————————————————————
A ————————————————————————————
B ————————————————————————————
```

PRACTICE

....

....

....

....

....

....

....

LAST MONTHS ACHIEVEMENTS

↓ THIS MONTHS GUITAR GOALS ↓

1

2

3

4

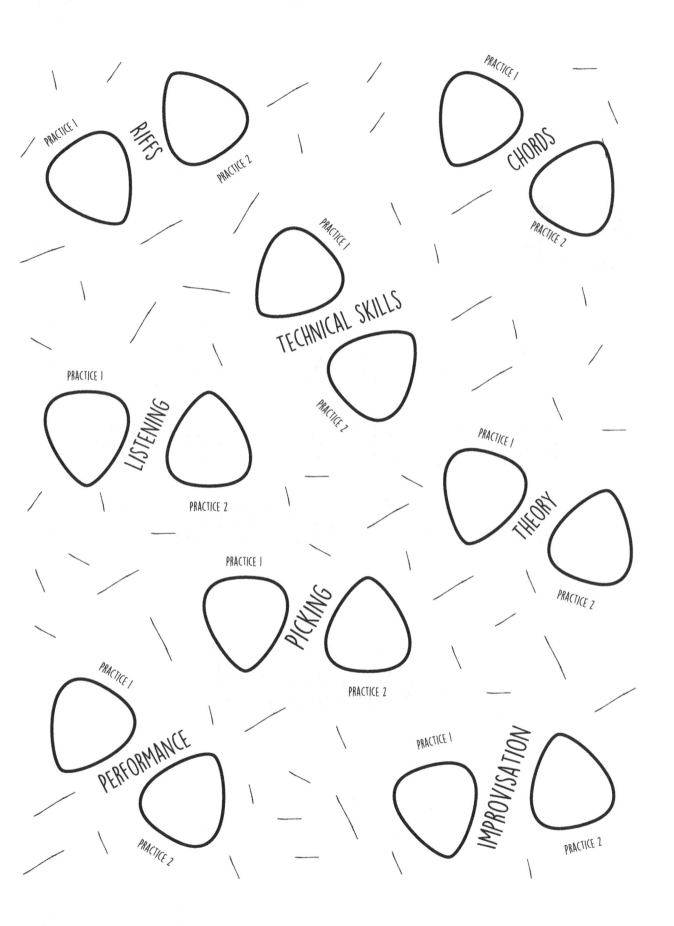

"

"WHEN YOU STRUM A GUITAR YOU
HAVE EVERYTHING — RHYTHM,
BASS, LEAD AND MELODY"

———

DAVID GILMOUR

DATE ....

```
T
A
B
```

```
T
A
B
```

```
T
A
B
```

PRACTICE

....

....

....

....

....

....

....

DATE ....

```
T ─────────────────────────────
A ─────────────────────────────
B ─────────────────────────────
```

```
T ─────────────────────────────
A ─────────────────────────────
B ─────────────────────────────
```

```
T ─────────────────────────────
A ─────────────────────────────
B ─────────────────────────────
```

PRACTICE

....

....

....

....

....

....

DATE ....

```
T————————————————————
A————————————————————
B————————————————————
```

```
T————————————————————
A————————————————————
B————————————————————
```

```
T————————————————————
A————————————————————
B————————————————————
```

PRACTICE

....

....

....

....

....

....

....

DATE ....

```
T ─────────────────────────────────
A ─────────────────────────────────
B ─────────────────────────────────
```

```
T ─────────────────────────────────
A ─────────────────────────────────
B ─────────────────────────────────
```

```
T ─────────────────────────────────
A ─────────────────────────────────
B ─────────────────────────────────
```

PRACTICE

....

....

....

....

....

....

RECORD YOURSELF

It's hard to analyse your guitar playing whilst you are doing it.

Record your practice and have a listen back - you will hear things in your playing you want to improve.

Recording yourself is also a good way to keep track of your progress and document your improvement.

Doesn't need to be anything fancy - just use your phone!

DATE ....

TAB

TAB

TAB

PRACTICE

....

....

....

....

....

....

....

DATE ....

TAB

TAB

TAB

PRACTICE

....

....

....

....

....

....

....

DATE ....

```
T ─────────────────────
A ─────────────────────
B ─────────────────────
```

```
T ─────────────────────
A ─────────────────────
B ─────────────────────
```

```
T ─────────────────────
A ─────────────────────
B ─────────────────────
```

PRACTICE

....

....

....

....

....

....

....

DATE ....

```
T ────────────────────────
A ────────────────────────
B ────────────────────────
```

```
T ────────────────────────
A ────────────────────────
B ────────────────────────
```

```
T ────────────────────────
A ────────────────────────
B ────────────────────────
```

PRACTICE

....

....

....

....

....

....

....

"IT'S REALLY IMPORTANT TO PICK THE RIGHT SHAPE AND SIZE GUITAR FOR YOURSELF"

———

DAVE MUSTAINE

DATE ....

```
T
A
B
```

```
T
A
B
```

```
T
A
B
```

PRACTICE

....

....

....

....

....

....

DATE

TAB

TAB

TAB

PRACTICE

DATE ....

```
T ─────────────────────────────
A ─────────────────────────────
B ─────────────────────────────
```

```
T ─────────────────────────────
A ─────────────────────────────
B ─────────────────────────────
```

```
T ─────────────────────────────
A ─────────────────────────────
B ─────────────────────────────
```

PRACTICE

....

....

....

....

....

....

....

DATE ....

```
T —————————————————————————
A —————————————————————————
B —————————————————————————
```

```
T —————————————————————————
A —————————————————————————
B —————————————————————————
```

```
T —————————————————————————
A —————————————————————————
B —————————————————————————
```

PRACTICE

....

....

....

....

....

....

....

READING MUSIC

TAB does tell you where to put your fingers (a bit like those paint by numbers kits) but it doesn't actually tell you the rhythmic values of notes.

Learning how written music works seems daunting, but it's not so bad and something you only have to do once!

Most guitar music is written out with rhythmic notation, so do yourself a favour and learn how to read it!

DATE ....

```
T ──────────────────────────────
A ──────────────────────────────
B ──────────────────────────────
```

```
T ──────────────────────────────
A ──────────────────────────────
B ──────────────────────────────
```

```
T ──────────────────────────────
A ──────────────────────────────
B ──────────────────────────────
```

PRACTICE

....

....

....

....

....

....

....

DATE ....

```
T ——————————————————————————————
A ——————————————————————————————
B ——————————————————————————————
```

```
T ——————————————————————————————
A ——————————————————————————————
B ——————————————————————————————
```

```
T ——————————————————————————————
A ——————————————————————————————
B ——————————————————————————————
```

PRACTICE

....

....

....

....

....

....

....

DATE ....

```
T————————————————————————
A————————————————————————
B————————————————————————
```

```
T————————————————————————
A————————————————————————
B————————————————————————
```

```
T————————————————————————
A————————————————————————
B————————————————————————
```

PRACTICE

....

....

....

....

....

....

DATE ....

```
T
A
B
```

```
T
A
B
```

```
T
A
B
```

PRACTICE

....

....

....

....

....

....

Made in the USA
Coppell, TX
24 June 2022

79196265R00162